目錄

貓巧可是
猜謎大王

創造力篇　文 王淑芬　　圖 尤淑瑜

審訂 國立屏東大學特殊教育學系主任 侯雅齡

1 特殊功能

貓巧可的生日快到了，貓小葉神祕兮兮的對姐姐貓小花說：「我準備的禮物，很特別喔。」

貓小花聽了，眼睛一亮，問：「這個禮物很貴嗎？」

貓小葉搖搖頭，笑了：「不不不，很便宜。」貓巧可早在幾天前，就提醒好朋友們千萬別花大錢買禮物給我，心意最重要。

結果，貓小葉送給貓巧可的生日大禮，竟然是一張白紙。

「你太小氣了啦。」貓小花大叫。

可是，貓巧可卻高興的收下這張白紙，說：「我正需要這個禮物，謝謝。」他又說：「一件平凡的東西，只要肯動腦，它的功能可能並不平凡。比如，這張白紙除了用來畫圖寫字，還能摺成紙飛機，用來練習手臂的力氣。」

或是，用來當水杯的蓋子，以免灰塵跑進去。

猜猜看，貓巧可會怎麼利用這張白紙呢？提示：跟小螞蟻有關喔。

跟著貓巧可玩遊戲 1

說出一件物品的五種「特殊功能」。

勾遠處拿不到的東西

當尺用

可以用來搔癢

鉛筆

塞在耳後耍帥

教外國人認識「鉛筆」這個詞

Q 下面這些物品的特殊功能是什麼呢？
說一說，並記錄下來。

書本　　平底鍋　　雨傘

捲筒餐巾紙筒心的外形、特性像什麼東西呢？

可以想像成望遠鏡

喇叭

捲筒餐巾紙的筒心

高爾夫球桿

蛋捲冰淇淋

蘿蔔

Q 下面圖案像什麼東西呢？ 請寫出 5 個物品。

許多發明家，就是因為能夠「打破現有思維」，因此創造出新的可能。這個遊戲在於鼓勵孩子「讓平凡變得不平凡」，是激發創意的好練習。

2 找不同

　　第三節課時， 貓咪老師帶著全班到健康中心做身體檢查。

　　每個人都按照號碼順序排隊， 讓貓咪老師為大家量身高與體重。

　　貓小花摸摸貓小葉：「你看起來好像長高了。」

　　貓小葉踮起腳尖， 也開心的說：「我不但長高， 也變得更帥氣了。」

　　老師看著檢查結果， 滿意的點點頭：「很好， 大家都很健康。」

大胖子！

不※過炎， 還系是が有文人思與※眾炎不文同炎， 就是が貓公波波波炎： 他如看系起公來特を別是高炎、 又云特を別是重き。 貓公小玉歪※指※著炎貓公波波波炎說是：「大胖系子が！ 大※巨公怪※！」

貓公咪や老師で生え氣公了えか， 告公訴公貓公小玉歪※：「每や個を人思都を有文自が己や獨を特を的を長を相玉， 不文應に該な嘲於笑な別是人思。」

貓公小玉歪※低を下玉頭を說是：「對公不文起公。」

貓公巧を可を指※著を自が己や的を頭を說是：「我也也也有文自が己や的を特を色を， 頭を特を別是大※！」

貓公小玉花や摸を摸を自が己や頭を上を開き出を的を一朵を花や， 笑玉著を說是：「沒や錯を， 貓公巧を可を的を頭を大※大※的を， 裝を滿や許な多を知※識や， 最を特を別是、 最を可を愛が了えか。」

跟著貓巧可玩遊戲 2

動動腦，注意以下這些題目，找出哪一個有獨特性，跟大家不同？並說出原因。

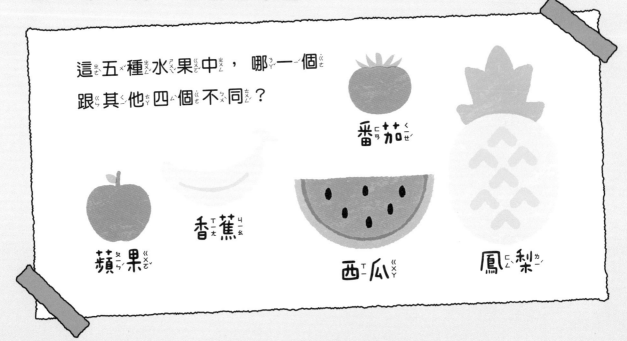

這五種水果中，哪一個跟其他四個不同？

番茄

香蕉

蘋果

西瓜

鳳梨

 我覺得是鳳梨，只有它的表皮刺刺的。

 我覺得是番茄，只有他不用削皮，可以直接吃。

我覺得是香蕉，其他的水果都圓圓的，只有它是長長的。

 我覺得是蘋果，因為是我唯一敢吃的。

Q 這五個字中，哪一個跟其他四個不同？

C F B H U

Q 這五個字中，哪一個跟其他四個不同？

ㄈ ㄑ ㄏ ㄙ ㄩ

Q 哪一個跟其他四個不同？

空氣　　汽車　　　　蛋糕

糖果　　　　氣球

這個遊戲要從物件的各種形式特質去思考，並留意是客觀性的條件。通常孩子會先從外形去想，例如：顏色、造形或大小等，而忽略其他，如：用途、發音等。所以透過遊戲在開發孩子思考的流暢性。

3 猜謎大王

貓咪老師今天被考倒了。

第一節課，老師才剛走進教室，貓小葉就舉手高喊：「老師，我有個壞消息！那個 …… 開花了。」

貓小乖轉頭，滿臉疑問：「什麼開花了？」

「就是那個軟軟的啊。」貓小葉才說完，貓咪老師也滿臉疑問：「什麼軟軟的東西開花了？」

貓小葉嘆了一口氣，說：「哎呀，就是那個大大的、香香的、軟軟的東西，我不知道它叫什麼。總之，昨天晚上我一坐下去，它就開花了。」

　　貓小歪大叫：「你一定是坐在香噴噴軟綿綿的蟑螂麵包上，浪費！」

　　貓小白猜是：「貓小葉太累了，沒看清楚，坐在爸爸胖胖的、軟軟的肚子上，所以你爸爸的衣服開花了。」

　　貓小葉指著貓小歪說：「錯！麵包才不大。」

　　他又指著貓小白說：「我爸的肚子一點都不香。錯！」

　　全班笑得東倒西歪。只有貓巧可點點頭，回答：「我懂了，是貓小葉心愛的抱枕。昨天坐下時太用力，所以抱枕的縫線裂開，開花了。」

　　全班都轉頭看貓小葉，小葉點點頭。貓咪老師說：「幸好貓巧可猜得到貓小葉的謎語。」

跟著貓巧可玩遊戲 ③

請你找到一個物件，再逐一說出它的特徵，讓別人猜猜你說的東西是什麼？可以記錄當你說到第幾項特徵時，別人才答對。

這是形容什麼東西呢？請猜猜看。

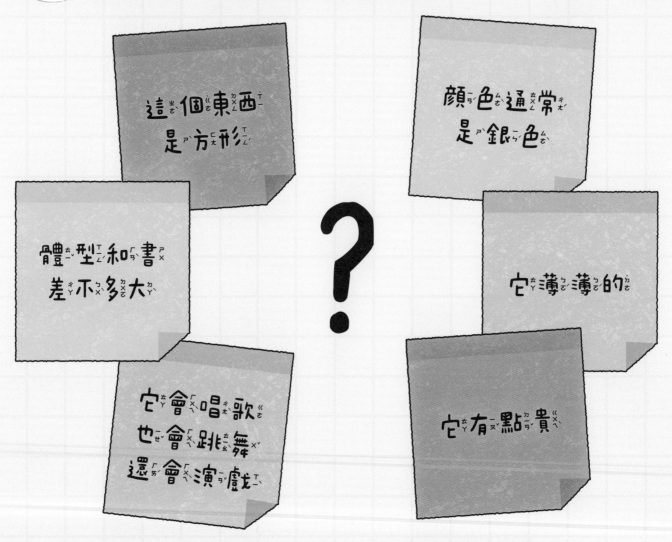

這個東西是方形

顏色通常是銀色

體型和書差不多大

它薄薄的

它會唱歌也會跳舞還會演戲

它有一點貴

?

Q 現在你也試著說出這幾個物件的特徵，讓別人猜一猜吧！

帳篷

雨衣

盪秋千

照相機

沙發椅

火車

小熊布偶

游泳池

腳踏車

這個遊戲是在練習如何簡單的描述一樣東西的特性，但又不能直接講出答案，增加神祕的趣味性。也可改成讓孩子心中有個對象，比如某種動物，再逐一說出特徵，讓別人猜。

4 空間記憶師

「鑰匙呢？ 我明明放在桌上！」這是貓小花的聲音。

「書包呢？ 我明明掛在椅子上！」這是貓小葉的聲音。 他還加上：「手帕呢？ 我放在哪裡啊？ 我今天要把手帕給老師看， 上面有粉紅的蝴蝶呢。」

貓巧可搖搖頭， 笑著指指自己的腦袋， 說：「記憶力呢？ 我明明收在頭上！」

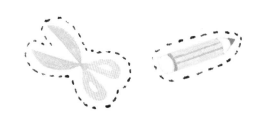

　　沒錯，經常忘東忘西，是貓小花與貓小葉早已習慣的事。有時候，急著出門，卻想不起來帽子放哪裡？或是，明明記得放在桌上的東西，放眼望去，桌子卻不見那樣東西的蹤影。

　　貓小葉嘟起嘴說：「是這些東西長了腳，跑來跑去跟我玩躲貓貓。」

　　貓小花也嘟起嘴，怪自己：「是事情太多啦，讓我們的記憶力也變差。」

　　貓巧可，快想一個有趣的遊戲，來幫助兩個人訓練大腦的記憶吧。

跟著貓巧可玩遊戲 4

請觀察這個房間，一分鐘後，將書本蓋起來，說出這個房間裡有的10樣東西。再把書本打開確認。

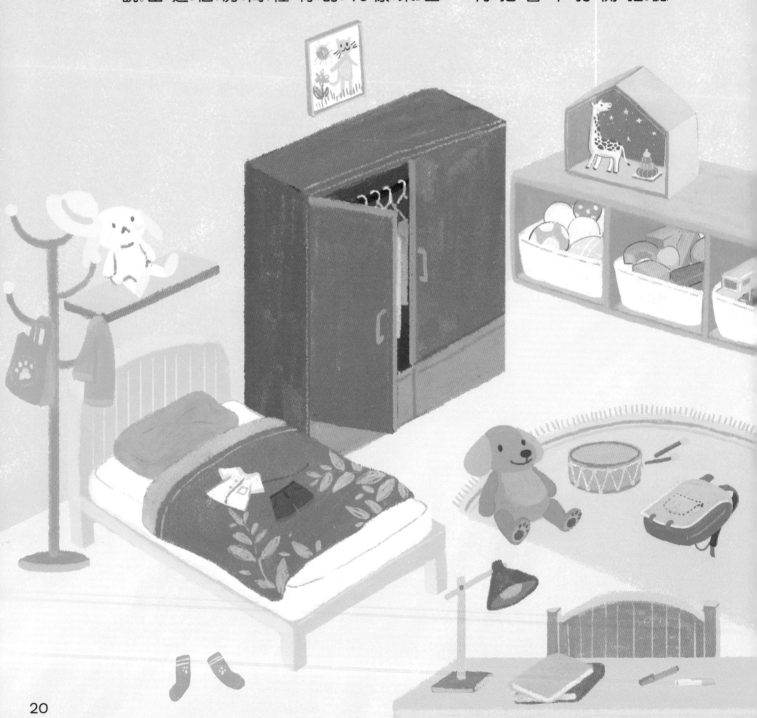

請觀察這兩個抽屜， 一分鐘後， 將書本蓋起來，
說出這裡有的 15 樣東西。

①這個遊戲在考驗孩子對所在空間的觀察力與「如何以有條有理的方式記住」。
例如進門處通常會放著與出門相關的東西，以此方法去做「連結記憶」。

②此外，有種記憶訓練便是將所有腦中的資料，并然有序的擺在放在某個想像
的空間裡，就像是許多整齊的抽屜，需要時就會去某個抽屜拿取。英國影集
「新世紀福爾摩斯」裡的主角就用過這招「羅馬房間方位記憶法」。

5 找出相同點

　　貓咪小學的貓咪老師，喜歡寫詩，更喜歡朗讀好聽的詩給學生聽。不過，貓小葉卻打了一個呵欠說：「我跟你們不一樣，我只喜歡唱歌，不喜歡詩。」

　　貓咪老師微笑著說：「詩跟歌是一樣的，有許多共同點喔。」

　　貓巧可點點頭，回答說：「詩與歌都有節奏感，不管是用唱的，還是念的，都很好聽。而且，它們也都帶給人感動。」

　　有些詩歌會讓人想哭，有些則會讓人想起從前的事。

　　貓咪老師拿出一本詩集，　先翻到前面幾頁，　指著書上的文字說：「這本詩集，　每次讀都讓我覺得心情很平靜。」她又翻到後面幾頁，　指著上面的五線譜，　說明：「作曲家將這些詩譜成可以唱的歌，　下次我教你們唱。」

　　原來詩可以變成歌，　節奏感就是它們最大的共同點。

　　貓咪老師又補充：「就像貓小葉與貓巧可，　也有許多共同點，　對不對？」

　　貓小葉笑了：「沒錯，　就是都很帥！」

請想一想這 6 個物件有什麼共同點？

電影票　考卷　沙發　桌子　圖畫紙　卡片

 這個很簡單，這些都是人類造出來的物品。

 這些物件的量詞單位都是「張」：一張電影票、一張桌子、一張圖畫紙、一張沙發、一張卡片。

 我知道、我知道，這些都是我喜歡的東西。

你ㄋㄧˇ也ㄧㄝˇ來ㄌㄞˊ想ㄒㄧㄤˇ一一ㄧˇ想ㄒㄧㄤˇ，下ㄒㄧㄚˋ面ㄇㄧㄢˋ這ㄓㄜˋ些ㄒㄧㄝ東ㄉㄨㄥ西ㄒㄧ的ㄉㄜ˙共ㄍㄨㄥˋ同ㄊㄨㄥˊ點ㄉㄧㄢˇ吧ㄅㄚ˙！

1. 籃ㄌㄢˊ球ㄑㄧㄡˊ　電ㄉㄧㄢˋ話ㄏㄨㄚˋ　電ㄉㄧㄢˋ腦ㄋㄠˇ　棒ㄅㄤˋ球ㄑㄧㄡˊ　蚊ㄨㄣˊ子ㄗ˙　針ㄓㄣ

2. 開ㄎㄞ門ㄇㄣˊ　上ㄕㄤˋ下ㄒㄧㄚˋ　左ㄗㄨㄛˇ右ㄧㄡˋ　吹ㄔㄨㄟ風ㄈㄥ　流ㄌㄧㄡˊ水ㄕㄨㄟˇ　心ㄒㄧㄣ痛ㄊㄨㄥˋ

3. 病ㄅㄧㄥˋ菌ㄐㄩㄣˋ　垃ㄌㄜˋ圾ㄙㄜˋ　敵ㄉㄧˊ人ㄖㄣˊ　錯ㄘㄨㄛˋ誤ㄨˋ　謠ㄧㄠˊ言ㄧㄢˊ　白ㄅㄞˊ髮ㄈㄚˇ

換個方式玩玩看，先在心裡訂出共同點，越讓人想
不到的點越好，再想出符合這個答案的五個物件。

25

6 快問快答

　　如果要在「游泳與爬山」之間選一件事來做，貓小葉絕對毫不考慮，立刻選：「我喜歡爬山。」

　　如果改成在「聽姐姐彈鋼琴」與「和姐姐一起玩跳房子」之間選呢？貓小葉想了又想，還是無法決定，因為兩件事他都喜歡。

　　貓小花也說出自己的困擾：「每次出門，要選白色衣服還是藍色？我都得想很久。因為都是我喜歡的顏色。可是，該穿裙子或長褲？卻很快就解決。」大家都知道貓小花喜歡穿有花邊的裙子。

　　有些問題很快就有答案，有些事卻想了很久，一直沒有解答。

　　貓巧可說：「生活中，有快有慢才好玩。快快的吃冰淇淋，慢慢的吃蛋糕。快快的跑步，慢慢的做瑜珈。快快的寫字，慢慢的畫圖。」

　　貓小葉卻說：「寫字不一定要快，也可以慢慢想，慢慢寫。」

　　貓巧可笑了：「貓小葉的思考能力很快耶。」

跟著貓巧可玩遊戲 6

 請試著用最快速的方式回答下列的問題，
進行快問快答。

說出三種形狀。

圓形 、梯形、五角形。

葉子形、花朵形、貓小葉形。

說出三種會長大的東西。

樹木、綠豆芽、象。

貓小葉的手、貓小葉的尾巴、
貓小葉的屁股。

你也來試試看吧！ 計時一分鐘， 能回答多少題目呢？

說出三種黃色的水果。

說出三種能結成冰的東西。

說出三種沒裝電池、也能自己發光的東西。

說出三種吃起來酸酸的東西。

說出三種會開花的植物。

說出三種三角形的食物。

說出三種必須去皮才能吃的水果。

說出三種鳥的名字。

說出三個童話裡的男生主角。

說出三個節慶名稱。

說出三種長方形的東西。

說出三件在家絕對不能做的事。

說出三種會餵寶寶喝奶的動物。

說出三種有尾巴的動物。

說出三件你從來沒有做過，但很想嘗試的事。

說出三種可以放在披薩上的食物。

說出三種紫色的東西。

說出三個童話裡的女生主角。

說出三種圓形的食物。

說出三種布做的東西。

這個遊戲在考驗孩子的即席反應。有助於將腦中已儲存的舊經驗，迅速且正確的提取出來運用。請搭配附件第 51 頁的題目卡，請幼兒在上面寫上各種題目，和親友一起玩遊戲。

7 人生就是變變變

　　貓小花一起床就覺得歡樂無比，因為今天是她的生日，又正巧是假日，已經有許多朋友答應來參加慶生會。連遠方的大象先生都說要送她一個禮物，還預告禮物盒上會打一個美麗的蝴蝶結。

　　只是，吃完早餐，卻開始下起傾盆大雨！貓小花的臉色變了，快哭出來：「真不幸，這下子大家都不會來了。」

　　貓小葉安慰姐姐：「沒關係，至少有我和貓巧可幫你慶祝。」

　　貓巧可就住在隔壁，一定會來。

　　才說完，敲門聲就響起了。貓巧可一推開門，貓小花高興的發現，門外的雨停了，草地上的水珠，在陽光下閃著亮光呢。

　　貓小葉快樂得轉了好幾圈，說：「這一定是我剛才在心裡大叫：好心的晴天仙女，快點變變變！」

　　天氣真會變變變，讓貓小花的心情也跟著變變變！等一下，滿屋子擠滿好朋友們，小屋裡一定變得很熱鬧。

跟著貓巧可玩遊戲 7

 我們來玩一個故事接龍，但是這個故事和天氣一樣，一下好、一下壞，會讓人的心情跟著變來變去。請你們試著用好和不好的形容，讓故事變得更有趣吧！

 真好，收到一個大蛋糕

 真傷腦筋，有100個朋友要分享這塊大蛋糕

幸運的是，有99個朋友不愛蟑螂口味的蛋糕

 太慘了，大蛋糕掉到地上。

 太棒了，剛好撿到一根湯匙。

 撿到湯匙哪裡幸運？

 可以把沒碰到地面的蛋糕挖起來吃啊！

下列有 7 個故事開頭， 請你用一好一壞、 一壞一好的方式接續說故事吧！

好開心，
有人邀我去
看電影。

太棒了，
今天是大晴天。

好幸運，
散步時看見
糖果屋。

太好了，
白雪公主
送我一座城堡。

真倒楣，
剛才我
滑了一跤。

太慘了，
忘了帶作業
到學校了。

好難過，
想吃的蟑螂口味
冰淇淋賣光了。

①此遊戲是參考美國繪本《Fortunately》（臺灣譯為《幸運的內德》，作者是雷米·查利普（Remy Charlip）。以不斷轉折再轉折的手法，描述主角先是幸運，但在幸運中又有不幸，幸好「不幸中的大幸」中又有幸運⋯⋯。彷彿是一齣人間荒謬悲喜劇。

②此遊戲在於練習如何轉念與設想各種可能，以及如何適當的運用相反語詞。

8 我會倒著説

快放學時，貓咪老師交待今天的功課是「寫一篇日記」。貓小葉在回家路上，嘟嘴抱怨：「放學時應該很快樂，因為可以回家吃美味的布丁。可是，媽媽一定會要我先寫功課。」

貓小葉覺得，如果能把回家後到上床前，必須做的事倒著來做會比較開心。例如一回到家，就先上床躺一下，再聽晚安故事，然後刷牙，洗澡，享用布丁，吃晚餐，聽姐姐彈鋼琴，最後再寫功課。

　　媽媽聽了了，哈哈大笑：「如果這樣做，會從一開始就結束。」因為媽媽覺得，只要貓小葉一躺在床上，包準一覺到天亮，不可能再起床寫功課。

　　貓小花說：「該做的事不能故意放到最後。不過，如果要玩順序顛倒的遊戲，我可以教你。」

　　這個「倒著說」的遊戲，平常她跟貓巧可就常玩，有時候說著說著，還會笑到倒在椅子上呢。

跟著貓巧可玩遊戲 8

這些題目有固定答案，請試著將答案的順序顛倒，回答問題。

1.

一年有哪幾季？
請倒著說。

冬、秋、夏、春。

2.

一年當中有哪幾個月？
請依順序倒著說。

總共十二月。

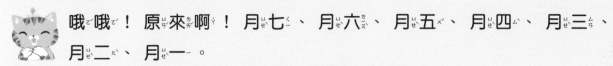

要說出12個月！十二月、十一月、十月、九月、八月……。

哦哦！原來啊！七月、六月、五月、四月、三月、二月、一月。

你也試看看倒著回答下面的題目吧！

1.

彩虹有哪幾個顏色？
請倒著說。

2.

十二生肖是哪幾隻動物？
請倒著說。

3.

英文符號的26個字母是什麼？
請倒著說。

現在我要來問大家一個簡單的問題，但回答者必須倒著說出答案。

1.
有句成語是在說心情很不安，包含兩個數字，答案是什麼？請倒著說。

下八上七。

2.
哪個童話裡的女生，一直睡很久？請倒著回答。

人美睡。

 你也試看看倒著回答這些答案吧！

1.
形容場面混亂的成語，裡面包含了兩隻動物。

2.
一個童話故事，有兩隻動物在比賽跑步，看誰先到達終點。

這個遊戲除了必須迅速提取答案，還得立刻在腦中轉換順序，考驗語言的變通力。

9 故事大王

　　「全世界最會說故事的就是貓巧可了！」貓小葉大聲說。

　　貓小花也同意：「貓巧可是故事大王。」

　　為什麼貓巧可這麼擅長說故事？簡直像是腦海裡有一部機器，隨時可以製造出一個又一個好聽的故事，讓兩姐弟聽得入神。

　　貓巧可說：「其實，每個人都會說故事。只要運用想像力，人人都可以成為故事大王。」

比如，看到眼前有一棟小房子，可以想像房子裡可能住著……。

貓小葉大叫：「貓小歪！」眼前的房子，正是貓小歪的家，小歪正在門邊吃麵包。一看見三個人，便大喊：「麵包不分給你們。」

貓小葉說：「小氣鬼。」又說：「我來編個故事：從前有一棟小房子，住著大方的貓小歪，一看見同學，會問：誰想吃麵包。」

貓小歪聽了，說：「這個故事是騙人的。」

故事本來就可以騙人啊。貓小葉繼續說：「沒想到，善良的貓小歪原來是巫婆變的，他假裝是好人，其實是要騙大家走進屋子裡，好將所有人吃掉。」

貓小歪一聽，被嘴裡的麵包嗆到，氣得說：「竟然說我是巫婆。」

貓小葉笑了，提醒他：「故事是騙人的啊！」

跟著貓巧可玩遊戲 ❾

🐱 邀請大家一起來玩說故事遊戲，
請按照下面的步驟，完成一個小故事。

1. 剪下第53頁的「故事大王卡」。
   至少兩個人以上參與，親子或朋友皆可。

2. 第一個人在編號 1 的空格中寫上「角色」，
   寫好後往後摺，不讓其他人看到。

3. 換第二個人在編號 2 的空格中寫上「在什麼地點」，
   寫好也摺起來。

4. 依此類推，再寫出「3.發生事件」、「4.結果」、
   「5.沒想到……」，如右頁的五項內容。

5. 過程中每個人都不能看前一個人寫什麼，自由發揮。
   完成後，打開紙捲，念出所有內容。

6. 最後將寫的內容加入完整的情節，
   變成一個荒謬，但極具想像力的故事，
   也可加上插圖做成小書。

1 加上形容的角色
一隻胖嘟嘟的長頸鹿

2 加上形容的地點
在熱到冒煙的沙漠裡。

3 發生事件
遇到一輛消防車，正準備要去救被卡在樹上的外星人。

4 結果
大家都說這樣很不幸，於是都哭了。

5 沒想到（反轉）……
沒想到這是騙局，於是他們去報警。

大科學家愛因斯坦曾說：「想讓孩子更聰敏，請讓他讀童話。」其實就是在強調想像力的重要；他也說過：「科學可以帶你從 A 點到 B 點，想像力卻能帶你到任何地方。」這個遊戲，在於激發想像力，讓孩子練習編造故事，多荒謬都沒關係。

10 分類專家

「哇！糖果店。」貓巧可與貓小花、貓小葉在放學回家路上，被新開幕的糖果店吸引住了。尤其當貓小葉看到櫥窗裡的糖果罐，眼睛根本無法移開。

有一罐裝滿綠色糖果，有一罐是橙色的，還有黃色的。這些瓶瓶罐罐，實在太讓人流口水了。

「紅色的糖果是草莓口味吧？紫色的是葡萄吧？」不過，貓咪們最愛的其實是藍色的薄荷口味。所以，貓小花說：「我買一包藍色糖果給弟弟吧。」

　　誰知道，店員卻說：「這罐藍色的糖果有的是蝶豆花做的，不一定是薄荷。」

　　貓小葉嘟起嘴：「把所有藍色糖果都放在一起，卻不分口味，這樣好嗎？」

　　的確，貓巧可也覺得，糖果不應該以顏色來分，要以口味來分類比較好。畢竟，糖果是要吃的，什麼味道比什麼顏色重要多了。

跟著貓巧可玩遊戲 ⑩

 請跟著下面的步驟來玩分類遊戲吧！

1. 將下面這 9 樣東西分成三類。

2. 把三類東西的名稱寫出來，但不說分類的依據什麼？

3. 請別人猜猜你的分類依據是什麼？

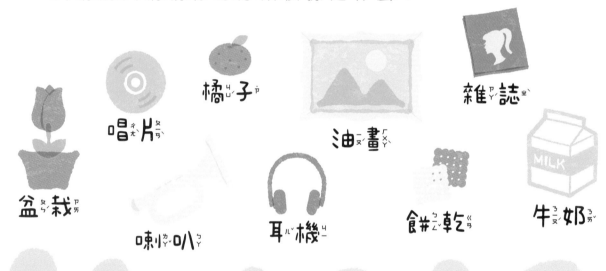

盆栽　唱片　橘子　油畫　雜誌　喇叭　耳機　餅乾　牛奶

 猜看看我是怎麼將這些東西分成三類的吧！

 我猜這些分類是三種不同的商店販售，
家具店、唱片行還有大賣場。

 我覺得是用不同的器官來分類，
有用眼睛看的、用嘴巴嘗味道、用耳朵聽音樂。

 貓小葉和我想的一樣，不過貓小花的答案也很棒唷！

請隨意剪下廣告單或是報章雜誌上的 9 個物件，貼在下面， 並試著分成三類， 再寫下分類的依據。

這個遊戲的重點在分類方式，通常我們會從外形去分，但除了外形，還有許多分類方法，要練習擴展自己的思考；除了大小、造型、顏色、功能，連價錢、發音、發明的年代等都可以是分類依據。看看你能想出哪種獨特的分類法，讓人意想不到。

迎接創新與跨領域的時代

文｜國立屏東大學特殊教育學系主任 **侯雅齡**

　　1997 年深藍（Deep Blue）電腦擊敗當時西洋棋世界冠軍卡斯帕洛夫（Garry Kasparov）時，人工智慧（Artificial intelligence, AI）開始飛快的發展，AI 透過蒐集巨量資料，進行分析、歸納與整理，未來將有可能取代大多數的重複性工作。再加上近些年受到Covod-19疫情的影響，許多仰賴人工的工作，未來可能皆由自動化的機器所取代，以降低供應斷鏈的風險。面對瞬息萬變的現在與不可測的未來，提升自我創造力更顯重要，因為人類的創意想像是目前機器所不可及的。

　　在成年人眼中對於事情常有既定的答案或解決辦法，因而忽略創新和思考，但其實很多事情都不是只有單一的解法，只是被既有的印象所束縛，或是擔心新的想法遭受批評和責難等。孩子天生就具有想像與創造力，他們對外在世界感到好奇，凡事都想問問為什麼？也能自己給出許多許多天馬行空的答案。但隨著年齡增長，開始意識到別人的評斷與逐漸遵從紀律後，創造力與好奇心都逐漸減弱。因此父母應適時從孩子有興趣，願意參與的活動中，去保有或培養孩子的想像力和創造力，透過父母的喝采和鼓勵，讓孩子有勇於冒險並尋找新發現的自信。

　　本書的遊戲對應著創造力的主要內涵，讓孩子在輕鬆且有樂趣的方式下學習從被動到主動探索，進而激發大量的想法（流暢力）、培養舉一反三的能力（變通力）、發現事物的細微變化（敏覺力），以及展現與眾不同的想法或意見（獨創力），這些能力與不同的學科知識結合之後，不僅會擴展學習的廣度，也會提升學習的品質與成效。筆者曾在物理科學習活動中，協助

學生將創意思考方法與學科知識結合，在真實情境中以實作方式進行，過程中，學生會願意嘗試多種操作、組合方式（變通力），當了解目標後能有更多想法，並能很快的完成作品（流暢力），勇於提出特別的科學假設與臆測（獨創力），在科學動手做時特別注意到操作的細節，發現影響結果的關鍵所在（敏覺力）。此外，數學的空間、體積概念，語文的作文、造句，藝術的實作……皆能與創造能力結合應用。

我們正從一個強調特定心智能力的時代，轉化重視創新與跨領域的時代，期待這一代孩子天生創意的心靈都能被小心呵護與滋養，成為未來等待的人才。

創造力是什麼呢？

遊戲對照篇章

敏覺力	敏於覺察，發現問題關鍵。	4 10
流暢力	能夠提出很多的想法，思路流暢。	2 3 5 6 10
變通力	能不固著於某一觀點，觸類旁通，思考具彈性， 不停留在習慣性的想法，而能以不同方式去看待問題。	1 7 8
獨創力	能夠想出別人想不到的觀念，很新奇但可被接受的。	1 9

聰明就是強大的腦力 王淑芬

我們常希望孩子越來越聰明,究竟,聰明是指什麼?

聰明指的是解決問題、適應生活的能力,這種能力包含兩種思考模式。一是聚斂式能力(或稱垂直式),指的是如何透過「歸納」,而「推論」出一個正確答案。另一個是擴散式能力(或稱水平式),指的是如何突破舊思維,延伸出更多可能的解答。所以,聰明就是腦力、思考能力。

臺灣目前的基礎教育,課程分為八大領域:語文、數學、社會、自然科學、藝術、綜合活動、科技、健康與體育;除了腦力(思考能力)也有體力、社交能力。然而,腦力當然是一切的基本,若無大腦思考能力當前提,體力再強也沒用,更別提良好的人際關係。

這套書便是以提升大腦能力當出發點,讓既聰明又大方助人的貓巧可,與好友的故事做為情境,再帶入一則則有趣的遊戲。這些遊戲,都大有學問,與開發腦力有關。

本套書刻意不將遊戲分類,是因為要讓孩子練習如何在一開始,便能辨識這個遊戲需要以哪種方式來玩?畢竟,真正遇到生活中的難題時,不會有人告訴你:這一題是跟空間邏輯有關、這一題需要從不同角度,創意發想。

這套書中的遊戲,連大人都能玩;但我們當然更希望,大腦很強的孩子,其他能力也必須協同,比如克制力、社交能力、表達能力。所以,建議有些遊戲,鼓勵孩子跟別家孩子一起玩,從中練習情緒智商。

總之,祝福大小朋友,越玩越聰明!

國家圖書館出版品預行編目 (CIP) 資料

貓巧可是猜謎大王. 創造力篇 / 王淑芬文；尤淑瑜圖.
-- 第一版. -- 臺北市：親子天下股份有限公司, 2022.11
56面 ; 21.5x24.5公分
注音版
ISBN 978-626-305-343-4(平裝)

1.CST: 兒童遊戲 2.CST: 創造力

523.13   111016096

繪本 0310

貓巧可是猜謎大王 創造力篇

作者｜王淑芬　繪者｜尤淑瑜　審定｜侯雅齡

責任編輯｜張佑旭　美術設計｜林子晴　行銷企劃｜溫詩潔、王予農
天下雜誌群創辦人｜殷允芃　董事長兼執行長｜何琦瑜
兒童產品事業群　副總經理｜林彥傑　總編輯｜林欣靜　主編｜陳毓書
版權主任｜何晨瑋、黃微真

出版者｜親子天下股份有限公司　地址｜台北市 104 建國北路一段 96 號 4 樓
電話｜（02）2509-2800　傳真｜（02）2509-2462　網址｜www.parenting.com.tw
讀者服務專線｜（02）2662-0332　週一～週五：09:00~17:30　傳真｜（02）2662-6048　客服信箱｜parenting@cw.com.tw
法律顧問｜台英國際商務法律事務所・羅明通律師
製版印刷｜中原造像股份有限公司　總經銷｜大和圖書有限公司　電話：（02）8990-2588

出版日期｜2022 年 11 月第一版第一次印行
定價｜320 元　書號｜BKKP0310P　ISBN｜978-626-305-343-4（平裝）

─────────────────── 訂購服務
親子天下 Shopping｜shopping.parenting.com.tw　海外・大量訂購｜parenting@cw.com.tw
書香花園｜台北市建國北路二段 6 巷 11 號　電話（02）2506-1635
劃撥帳號｜50331356　親子天下股份有限公司

立即購買 >

參考解答

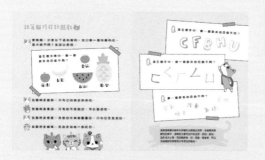

P13

① B，只有它是封閉的圖形。

② ㄩ，只有它的開口是朝上。

③ 空氣，不必花錢買。

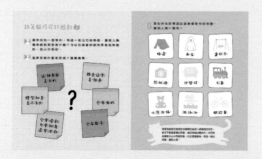

P16

平板電腦

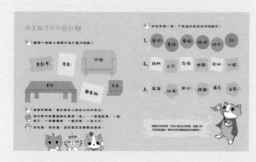

P25

① 都可以「打」。

② 語詞改為前後顛倒，意思都一樣。

③ 都不受歡迎，愈少愈好。

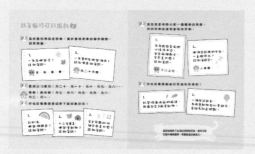

P36

① 紫、靛、藍、綠、黃、橙、紅。

② 豬、狗、雞、猴、羊、馬、蛇、龍、兔、虎、牛、鼠。

③ ZYXWVUTSRQPONMLKJIHGFEDCBA

P37

① 跳狗飛雞。

② 跑賽兔龜。

快問快答
題目卡

快問快答
題目卡

快問快答
題目卡

快問快答
題目卡

快問快答
題目卡

快問快答
題目卡

快問快答
題目卡

快問快答
題目卡

快問快答
題目卡

快問快答
題目卡

快問快答
題目卡

快問快答
題目卡

快問快答
題目卡

快問快答
題目卡

快問快答
題目卡

快問快答
題目卡

快問快答
題目卡

快問快答
題目卡

快問快答
題目卡

快問快答
題目卡

快問快答
題目卡

快問快答
題目卡

快問快答
題目卡

快問快答
題目卡

快問快答
題目卡

快問快答
題目卡

快問快答
題目卡

快問快答
題目卡

故事大王卡

1

2

3

4

5

1

2

3

4

5

1 角色

往下摺到此線↙

2 地點

往下摺到此線↙

3 發生事件

往下摺到此線↙

4 結果

往下摺到此線↙

5 沒想到……

往下摺到此線↙

1 角色

往下摺到此線↙

2 地點

往下摺到此線↙

3 發生事件

往下摺到此線↙

4 結果

往下摺到此線↙

5 沒想到……

往下摺到此線↙